Cœur de pirate

N. Karanfilovic & C. Skinazy

Editions Maison des Langues, Paris

COLLECTION PLANÈTE ADOS

Auteur : Nathalie Karanfilovic, Cyril Skinazy
Coordination éditoriale : Lourdes Muñiz
Révision pédagogique : Cécile Canon
Conception de couverture : Enric Jardí
Illustration de couverture : Fernando Vicente
Conception graphique et mise en page : Luis Luján, Veronika Plainer, Aleix Tormo
Illustrations : Laurianne López
Activités : Danièle Seraphine
Enregistrements : Jean-Paul Sigé

ISBN édition internationale : 978-84-8443-887-8
ISBN édition espagnole : 978-84-683-0615-5

Dépôt légal : B-10531-2012
Réimpression : juillet 2013
Imprimé dans l'UE

www.emdl.fr

Cœur de pirate

Théobald porte de grosses lunettes, il n'est jamais habillé à la mode ! Bref, il n'est pas très apprécié de ses camarades. Surtout Fifi, la fille la plus cool de la classe et dont Théobald est amoureux. Mais il est un vrai maître d'Internet et il est prêt à tout pour gagner le cœur de Fifi.

Sommaire

Avant lecture

1. La couverture

a) Regardez l'image de la couverture et décrivez le jeune garçon en deux lignes.

____

____

- D'après vous, quel âge a-t-il ? ______________
- Quel est son passe-temps favori ? ______________
- Décrivez l'image sur l'écran de son ordinateur. ______________

b) Faites des hypothèses sur l'histoire.

____

____

2. Le titre

a) Que peut signifier ce titre d'après vous ? ______________

b) Il existe, en français des expressions avec le mot cœur. Reliez-les aux bonnes significations.

1	Être un bourreau des cœurs	a	Volontiers
2	Avoir un cœur d'artichaut	b	Être séducteur
3	Mettre du baume au cœur	c	Avoir la nausée
4	Parler à cœur ouvert	d	Être frivole
5	Faire quelque chose de bon cœur	e	Consoler
6	Avoir mal au cœur	f	Franchement

3. Le livre

Quel genre de livre est-ce ? Un roman...

☐ policier ☐ d'aventures ☐ historique ☐ science-fiction

1. Dimanche soir chez les Baldini

Dimanche soir, 20 heures. Le journal télévisé[1] vient de commencer, les Baldini se mettent à table[2]. « … Nous débutons notre journal avec la Conférence de São Paulo. Les États[3] se sont réunis[4] ce matin pour discuter du réchauffement climatique… » 5

M. Baldini : Réchauffement climatique[5] ? Mais qu'est-ce qu'ils racontent, ils se moquent de nous, il n'a jamais fait aussi froid…

Mme Baldini, un tablier[6] autour de la taille, pose un plat sur la table[7].

Mme Baldini : Théo ! ! ! Tu viens ? Le dîner[8] est prêt ! *(Elle parle au père)* Ça fait trois fois que je l'appelle. Il exagère[9] quand même. 10

M. Baldini : Depuis le temps que je te dis qu'il faut lui couper Internet…

Mme Baldini : Ah, toi, tu exagères toujours ! 15

M. Baldini : Je n'ai jamais compris ce qu'il faisait pendant des heures sur cette machine. Il perd son temps et c'est pas comme ça qu'il va se trouver des amis… En plus, je le trouve de plus en plus pâle[10].

Mme Baldini : Toi aussi, tu passes des heures sur ton ordinateur au travail ! Et vis avec ton temps, Thierry. Tu sais très bien que c'est comme ça que les jeunes communiquent aujourd'hui. En plus, grâce à Internet, il a plein d'amis. 20

M. Baldini : Oui, mais quand c'est pas Internet, il passe des heures à ses jeux drôles. 25

Mme Baldini : D'abord, on dit « jeux DE rôles », et il ne fait pas que jouer, il en programme aussi. Et puis, il travaille bien à l'école. *(Elle crie)* Bon, Théo ! Tu viens, le dîner va être froid... ! !
Théobald : Oui, j'arrive.

5 Théo est dans sa chambre, il pianote[11] concentré sur son ordinateur. Sa chambre n'est pas très grande, et elle est tellement[12] encombrée[13] que ses parents n'y entrent jamais. Sur son bureau, une lampe en forme de globe terrestre. Sur une étagère, une collection[14] de robots en Légo, au mur, un poster
10 de Dark Vador et une affiche de Panama City Bay en Floride. Au pied de son lit, des montagnes de BD de science-fiction et de mangas ! Une vraie chambre de *nerd...**

* **Nerd :** terme anglais désignant une personne solitaire et passionnée par des sujets liés aux sciences et aux techniques.

Théo a 14 ans, cheveux châtain bouclés[15] et yeux clairs[16] cachés derrière des verres épais[17] entre dans la salle à manger et s'installe à table. Il soulève[18] ses grosses lunettes pour se frotter les yeux[19]. Il baille[20].

M. Baldini : Tu vois, il faut que tu arrêtes avec Internet. Tu vas avoir des problèmes avec tes yeux. 5

Mme Baldini : C'est vrai Théobald, papa a raison. Pourquoi est-ce que tu ne vas pas faire un tour à vélo avec papa dimanche prochain ?

Théo marmonne* un vague « oui ». Il attaque son gratin de macaronis et pose sur la table son magazine de jeux vidéo préféré Game Buster qu'il se met à lire. 10

* **Marmonner :** vient de l'onomatopée « marm » (murmure). Parler entre ses dents.

STARGATE
B.D.

2. Au collège Montaigne

Lundi, 8h40, Théobald saute[1] du bus 95 qui l'a déposé[2] rue Bonaparte. Comme chaque matin, il court le long de la rue Auguste Comte pour être à l'heure au collège. Bon, il faut dire que depuis la rentrée, Théo est en troisième dans le très chic collège-lycée Montaigne, en face du jardin du Luxembourg. 5

Le jardin du Luxembourg est situé dans le 6e arrondissement de Paris. Il s'étend sur 23 hectares et c'est une des promenades préférées des Parisiens.

C'est quand même mieux que son ancien[3] collège Edouard Vachon rue Championnet dans le 18e arrondissement* de Paris. Théo d'ailleurs[4] voulait rester dans le quartier, mais ses profs ont proposé à ses parents de le mettre dans une meilleure école, dans un quartier chic de Paris. Pour ce qui est des cours, pas de problèmes, mais pour ce qui est des copains, c'est une autre histoire... surtout quand on a un an d'avance[5].

Aujourd'hui à 9 heures et comme tous les lundis, c'est cours de mathématiques avec Mme Laforge.

Mme Laforge : M. de Tassigny, cela doit être très drôle ce que vous racontez là puisque[6] tout le monde rigole. Nous allons tester votre humour au tableau. Vous allez nous faire cet exercice sur les triangles rectangles[7].

Alban se passe la main dans les cheveux, se lève et se dirige vers[8] le tableau d'un pas décontracté[9]. Il commence à écrire, mais tout à coup il s'arrête, il a l'air perdu[10].

Un élève dit à voix haute :

Un élève : Madame, il connaît plutôt[11] le triangle des Bermudes[12].

Toute la classe rit.

Mme Laforge : Oui, M. de Tassigny, j'ai l'impression que[13] vous avez plutôt travaillé votre bronzage[14] ce week-end. Allez à votre place... Bon, alors qui veut bien aller au tableau ? ... Mlle Duplessy, rangez votre portable, s'il vous plaît. Et Mlle Béranger, arrêtez de regarder par la fenêtre.

Lucie : Mais madame, un vaisseau spatial[15] se dirige vers nous...

* **18e arrondissement :** situé sur la rive droite de la Seine, le 18e arrondissement, quartier « populaire », est un des quartiers les plus peuplés de la capitale.

Rires dans la salle.
Pierre-Henry : Ça doit être des amis de Baldini....

Tout le monde rit encore plus fort. Mme Laforge s'énerve :
Mme Laforge : Silence !

À ce moment, on frappe à la porte[16]. 5
Mme Laforge : Entrez !

Théobald entre dans la salle essoufflé[17] et en sueur*. Toute la classe rigole*. Il est vrai que Théobald a un style vestimentaire[18] très personnel : une polaire[19] verte sur une chemise 10 à carreaux[20] rouge, un pantalon de velours[21] trop court et des chaussures André* à grosses semelles[22].

Théobald : Désolé, madame, j'ai raté[23] mon bus.
Mme Laforge : Et bien comme vous êtes là, 15 passez donc au tableau, M. Baldini.
Théobald : Oui, madame... Alors, ici on a un triangle ABC et comme $AB^2 = AC^2 + BC^2$, alors c'est un triangle rectangle en C.

En quelques coups de craie[24], Théo résout l'équation[25]. 20

Mme Laforge : Bravo, M. Baldini, vous pouvez vous asseoir. Vous pourriez donner des cours de rattrapage[26] à vos petits camarades.

* Être en sueur : être tout mouillé de transpiration.
* Rigoler (fam.) : rire.
* André : magasin de chaussures bon marché.

Théo est flatté[27] et jette un regard[28] à Fiona, la jolie blonde aux yeux en amande[29] qui est assise au quatrième rang[30] à droite. Théo va s'asseoir. Dans les rangs, on entend des chuchotements[31].

En France, les salles de classe sont organisées en rangs face au tableau. Les élèves sont assis individuellement ou par deux face à leur professeur.

Fiona : Waouh, vous avez vu le look ? Il a sorti la collection
5 automne-hiver.
Tristan : Ouais[32], la collection 90–91.
Pierre-Henry : Dolce & Gabbana ont du souci à se faire ! !*

* **Avoir du souci à se faire** : avoir des motifs pour se préoccuper.

3. Le Club du Blason Royal

Il est midi, c'est la pause déjeuner. Depuis qu'il a changé de collège, Théo n'a plus le temps de rentrer déjeuner chez lui, alors sa mère lui prépare tous les matins un sandwich. Aujourd'hui, c'est lundi et c'est poulet-mayonnaise et une pomme en dessert. Pas le style de ses camarades de classe qui préfèrent aller au Niouz Café. Alors que Théo déguste[1] son sandwich sur un banc dans la cour, Lucie s'approche de[2] lui. Juste à cet instant[3] un portable sonne. Théo rougit[4] et répond. Lucie sourit, elle a reconnu le thème de la « Guerre des étoiles ». Théo répond tout bas :

Théobald : Allo, oui maman. Il est bon, oui, je suis en train de le manger. Oui-oui, je rentre vers 5 heures. À plus tard !

Lucie s'assoit à côté de lui.

Lucie : Eh, le petit génie ! C'est vrai que tu étais à Vachon avant ?

Théobald : Oui, tu connais ?

Lucie : Oui très bien, j'habitais aussi dans le quartier. Bon, tu vas pas rester là à manger ton hamburger tout seul. Tu viens avec nous au Niouz ?

Théobald : C'est pas un hamburger, c'est un sandwich poulet-mayonnaise avec un cornichon[5] coupé en deux et des petites tomates. C'est mon préféré et ma mère me le prépare tous les lundis pour bien commencer ma semaine...

Mais pour le Niouz, euh... comment dire euh... j'ai déjà dépensé[6] mon argent de poche* du mois pour m'acheter la dernière BD de *X-Men*.

Lucie : Allez, viens je te paie un coca.

Créés par Stan Lee et Jack Kirby en 1963 pour Marvel Comics, X-Men est une BD américaine où les protagonistes sont un groupe de super héros mutants qui apprennent à maîtriser leurs pouvoirs aidés par leur mentor, le professeur Xavier.

* **Argent de poche :** argent habituellement donné aux enfants par leurs parents pour leurs dépenses.

Théo rentre pour la première fois au Niouz Café. Toute la bande du Club du Blason[7] Royal se trouve à une table et semble[8] en discussion très animée[9].

Lucie : *(à Théobald)* Viens, on est en train de préparer la prochaine DGP. 5

Théobald : Ah, ouais, tu connais le Dolphin Guiding Project ?

Lucie : Le quoi ?... Mais non, je veux parler de la Dandy Garden Party !

Chaque année, le *Club du Blason Royal* organise une grande fête. Dans deux semaines, le père de Fifi part en vacances 10 à Saint-Barth avec sa nouvelle copine, c'est dans son super appartement de 400 m² avec terrasse qu'aura lieu[10] la soirée de l'année. Bon, sa tante sera là, mais elle est hyper cool.

Cette île française très chic des Petites Antilles, familièrement appelée Saint-Barth, a été découverte par Christophe Colomb qui l'a baptisée ainsi en l'honneur de son frère Bartolomé.

Alban : Regardez, qui vient là ? C'est notre génie en maths.

Pierre-Henry : Alors, Baldini ! T'as fini ton hamburger ? 15

Théobald répond de suite :

Théobald : C'est pas un hamburger, c'est un sandwich poulet-mayonnaise avec un cornichon coupé en deux...

Les garçons se mettent à rire.

5 **Lucie :** Oh, arrêtez les mecs de le chambrer[11]* Je vous présente peut-être notre sauveur[12] ! On va lui demander quelques-uns de ses neurones.

Fiona : Tiens, c'est vrai Théo. Tu ne peux pas nous donner des tuyaux* pour être bon en maths ?

10 Théobald sourit timidement à Fifi :

Théobald : Oui, euh quand tu veux.

Alban : Le problème avec Fiona, c'est qu'il faudra lui donner des cours dans toutes les matières !

Fiona : Ah, très drôle ! Non, mais j'ai rien compris aux triangles 15 rectangles.

Théobald : Oh, c'est pas compliqué[13]. Si tu veux, je peux t'expliquer. Par exemple, si ABC est un triangle...

Fiona l'arrête.

Fiona : Bon d'accord, mais je pense que c'est peut-être mieux si 20 tu passes chez moi mercredi vers 14 heures ?

Théobald : Euh... oui... Je veux bien.

Pierre-Henry : Bon les amis, parlons de choses sérieuses : qu'est-ce qu'on fait pour la soirée du 25 ?

Lucie : Ouais, c'est quoi le thème finalement ?

25 **Alban :** On peut faire une soirée karaoké ?

Lucie : Et pourquoi pas faire une soirée crêpes ?! C'est nul comme idée !!

* Le chambrer (fam.) : se moquer de lui.
* Donner des tuyaux (fam.) : aider.

Pour préparer les crêpes il vous faut juste mélanger des œufs, du sucre, de la farine, une pincée de sel et du lait. Une fois prêtes, vous pouvez les accompagner de confiture, de chocolat...

Fiona : Oui, c'est vrai, c'est un événement[14] : le troisième anniversaire du *Club du Blason Royal*. On va pas faire n'importe quoi[15].

Pierre-Henry : On n'a qu'à faire une soirée 80's.

Pendant ce temps, Théobald qui n'a rien manqué de la conversation, ne peut s'empêcher de[16] dire avec enthousiasme :

Théobald : Et pourquoi pas une soirée « Guerre des étoiles » où tout le monde doit venir en costume *Star wars* ? J'ai tous les costumes si vous voulez...

Grand silence. Les quatre amis le regardent avec surprise, puis reprennent leur conversation, comme s'ils n'avaient rien entendu.

Fiona : Ok, pour la soirée 80's, ça va être plus drôle.
Il est 17 heures, Théobald rentre chez lui le sourire aux lèvres[17]. Il est heureux de cette journée où il a pu briller* en classe et se faire de nouveaux amis. Et surtout, il a rendez-vous avec Fifi
5 mercredi.

* Briller : se faire remarquer.

PISTE 4

4. Un rendez-vous chez Fiona

Nous sommes mercredi. Il est 13h55 et pour une fois, Théo n'est pas en retard. Mais comment être en retard ? Le jeune garçon n'a pas dormi de la nuit. Il a rendez-vous avec la plus jolie fille de la classe, Fiona Duplessy. Il n'arrive toujours pas à le croire.
Le voilà devant le 15, rue Vavin, chemise repassée[1], chaussures cirées[2] et cheveux gominés[3]. Puis, il tape[4] sur le digicode[5] les 4 chiffres dont il se souvient par cœur.
Pas de chance, l'ascenseur[6] est en panne. Il monte les cinq étages à pied. Il arrive devant la porte essoufflé, puis sonne.
Une dame très souriante[7] lui ouvre :
Théobald : Bonjour, madame. J'ai rendez-vous avec votre fille.

En France, on utilise souvent ce système de verrouillage électronique pour avoir accès aux bâtiments. Le digicode s'ouvre en saisissant un code secret.

La dame est surprise :
Mercedes : Ma fille ? Mais ma fille ne vit pas ici.
Théobald : Oh, excusez-moi, madame, j'ai dû me tromper d'étage[8].

Théo est sur le point de partir quand Fiona apparaît[9] à la porte.
5 **Fiona :** Théo, je suis là ! Entre !
Mercedes : Ah, c'est pour vous Mademoiselle Fiona ? Je suis désolée, je ne savais pas…
Fiona : Merci, Mercedes… Ah, super tu as trouvé facilement, alors ?
Théobald : Ouais, top, j'ai regardé sur *cityplan* avant de partir.
10 C'est facile, tu sais, en plus y'a une nouvelle application. Tu peux simuler la promenade avec ton avatar[10] et…

Mercedes prend le blouson[11] de Théo. Théo regarde autour de lui et n'en croit pas ses yeux. L'entrée à elle seule est aussi grande que le 3-pièces dans lequel il vit avec ses parents. Et un
15 énorme lustre[12] en cristal descend du plafond[13].
Fiona : Alors, ne reste pas là. Viens, je vais te montrer ma chambre.

Théo entre dans la chambre de Fiona. Il y a un grand lit à baldaquin, un sofa orange avec des coussins[14] léopard et plein d'animaux en peluche. Au sol[15], un tapis[16] qui fait penser à une peau[17] d'ours blanc.
20 C'est une vraie chambre de fille avec une super déco.
C'est vrai que ça change de sa chambrette* avec sa collection de Légo. Théo sent un doux[18] parfum de vanille, mais soudain[19] son regard s'arrête sur le bureau de Fiona.
Théobald : Waouh, cool, t'as le dernier IMac 32 pouces[20] à
25 écran tactile[21] IPS à double processeur, mais… *(il réfléchit un instant)* il est même pas encore vendu en France.

* Chambrette (péjoratif) : petite chambre.

Fiona : Oui, je sais, c'est mon père qui me l'a rapporté[22] de New York... Et attends, regarde... : « DandyClub888 ».

À cet instant, l'ordinateur s'allume[23] comme par magie.
Théobald : Reconnaissance vocale[24] ? Waouh ? Mortel[25] !
Fiona : Oui, mon père est toujours en voyages d'affaires, il aime me faire des beaux cadeaux... 5
Théobald : Tu en as de la chance !

Fiona se met à soupirer[26].
Fiona : Oui, mais il est pas toujours sympa. Il m'a dit que si cette année je n'ai pas de bonnes notes en classe, il m'enverra en internat en Suisse. 10

Fiona se regarde dans un miroir[27] et soupire à nouveau.
Fiona : J'ai peur pour le prochain contrôle[28]...
Théobald : Ne t'inquiète pas[29], c'est pas si compliqué les maths. Regarde, je vais te montrer. 15

Théo s'installe fier[30] devant l'ordinateur.
Théobald : On va commencer par des équations simples. Tu sais, les maths, c'est comme le vélo, plus on s'entraîne, plus on devient fort !

Fiona enroule[31] une mèche de cheveux dans ses doigts[32]. 20
Fiona : Mais c'est bien ça le problème, je ne suis pas une grande sportive.

Pendant une demi-heure, Théo explique des équations à Fiona.
Théobald : Regarde, si tu comprends pas, tu n'as qu'à les apprendre par cœur. 25

Elle perd courage.

Fiona : Ah, c'est trop dur... Sans les sujets[33] à l'avance, j'y arriverai jamais…

Théobald : Tu sais, avoir les sujets à l'avance, c'est pas le plus difficile. Mais c'est pas le but du jeu non plus.

Fiona se tourne soudain vers lui :

Fiona : Ah, bon ? Qu'est-ce que tu veux dire ?

Théo réfléchit un instant et répond :

Théobald : Ben, c'est hyper facile. Tous les sujets sont sauvegardés[34] sur le serveur du collège. Il suffit de[35] craquer* les codes d'accès[36]. Mais bon, c'est illégal.

Fiona : Ouais, c'est sûr, c'est illégal… Mais dis-moi, t'es aussi un crack* en informatique ?

Théobald : Euh, ouais, j'aime bien ça. Mais j'aime surtout inventer des jeux.

Fiona : Trop cool ! *(petit silence)* Au fait, qu'est-ce que tu fais le 25 ? Tu viens à notre soirée ?

Théo descend les escaliers le cœur léger[37]. Fiona, la belle Fiona, la fille dont il rêve depuis le début de l'année, l'a invité à la soirée DGP. Mais soudain, il a peur, que va-t-il pouvoir mettre ? Ça va être une soirée 80's, mais une soirée chic, c'est sûr. À côté des garçons du collège Montaigne qui portent des jeans slim Seven, des chemises Paul & Joe et leurs vestons[38] John Dodeland, Théo va être ridicule[39]. Il a bien un costume Ted Lapidus de son oncle, mais il faudra demander à maman de le retoucher[40].

* **Craquer** : pirater, récupérer des informations de manière malhonnête.
* **Un crack** : un champion.

5. La Dandy Garden Party

H-2. Dans la salle à manger, Théo est en train d'essayer[1] le costume que lui a retouché sa mère.
Mme Baldini : Regarde, Jean-Claude. Le costume est fait pour lui.
M. Baldini : C'est vrai que je ne reconnais pas mon propre[2] fils. 5
Mais il manque un petit quelque chose…

M. Baldini se lève et va dans sa chambre. Il revient avec une chemise.
M. Baldini : Tiens, mon fils, voici la chemise que je portais à ma première boum, ma première soirée ! Elle m'a porté chance[3].

Théo découvre le col pelle-à-tarte,* les gros boutons de nacre[4] 10
et l'imprimé de fleurs[5]. Il a soudain un doute[6] : « est-ce que ça va aller avec le thème de la soirée ? Est-ce que ça n'est pas trop ? Est-ce que Fiona va aimer ? », mais il est vite rassuré[7] par les mots de sa mère.
Mme Baldini : Comme il est beau, notre fils. 15

Théo est heureux. Il met encore un peu de gel dans ses cheveux et dit au revoir à ses parents.
Mme Baldini : N'oublie pas. Tu m'appelles quand la fête est finie et je viens te chercher.
Théobald : Ouiii, ma-man. Je t'appelle. 20

* Pelle-à-tarte (argot.) : désigne un col avec bouton avec bouton et de très larges rabats, très à la mode dans les années 70.

Il embrasse ses parents et sort.
La soirée est douce et Théo arrive rue Guynemer à 19 heures. Depuis que ses parents ont divorcé[8], Fifi vit chez sa mère, mais elle préfère faire la fête dans l'appartement très chic de son père, pas très loin de là. Elle a de bonnes raisons Fifi car il faut dire que l'appartement de papa est encore plus grand, avec même une piscine sur le toit.
La rue est vide, mais on entend une musique. Théo lève la tête et voit de la lumière au dernier étage. Il fait le code et monte. Cette fois, l'ascenseur marche. Au dernier étage, il sonne à la porte. Fifi, plus belle que jamais, lui ouvre la porte.
Stupéfaite[9], elle regarde Théo qu'elle a du mal à reconnaître.

Fiona : Ah Théo, c'est toi ? T'es – comment dire – super ! Viens je vais te montrer. Mais attends, ne bouge pas, je vais prendre une photo de toi… Clic-Clic ! Souris Théo !... Ah oui, trop drôle, regarde !

Théo est aux anges[10]. Puis, Fiona le prend par la main et le présente à ses amis. Tout le collège Montaigne est déjà là, filles et garçons sont habillés[11] très années 80. Théo n'a pas tout à fait le même style, mais c'est bizarre tout le monde lui fait de grands sourires.
Une fille parle à une copine et dit :

Une fille : Oh, trop marrant[12] son déguisement[13], mais c'est pas plutôt 70's ? T'as vu ?

Un garçon lui demande :

Un garçon : Et, mec tu l'as trouvé où ton costard* ? C'est Travolta qui te l'a donné ? Mdr.*

* Costard (argot.) : costume.
* Mdr (mort de rire) : traduction de l'anglais « LOL » (lot of laughs). Langage SMS ou Internet.

Une fille, qui rigole, vient vers lui :

Une fille : Hé, playboy, tu viens danser ? On va demander au DJ de mettre un bon disco. Tu as déjà le look pour ça.

Un garçon s'approche :

Un garçon : Oh génial, le costume ! Mon oncle avait le même. *(Théobald rougit)* Hé, Alban ! Viens nous prendre en photo. On a la star de la soirée ! 5

Alban : Waouh, Théo ! Hé DJ, mets-nous « la fièvre du samedi soir[14] ». Allez, les filles, venez danser. Disco King est là !

Lucie arrive et dit : 10

Lucie : Ah vous êtes lourds* les mecs, laissez-le.

À ce moment, on entend le hit disco « Shame, shame, shame, shame on you... ».

Des filles se mettent à danser autour de Théo et rient. Théo n'est pas très à l'aise[15], mais se met peu à peu à bouger maladroitement[16]. Il tourne autour de lui-même et secoue[17] la tête dans tous les sens[18] et tombe même à genoux[19]. Une foule est maintenant autour de Théo en sueur, prend des photos et rigole. Soudain, la musique s'arrête. Des jeunes montent un escalier. Un garçon crie : 15 20

Un garçon : Hé, venez vite voir, c'est trop cool ! !

Théo ne comprend pas, il se lève. Lucie passe devant lui et le prend par le bras.

Lucie : Viens, tu vas voir, c'est trop dingue la piscine sur le toit ! 25

* Être lourd (fam.) : exagérer.

Théo la suit et arrive sur la terrasse où se trouve une petite piscine, à côté des plantes exotiques et des
5 chaises longues, comme à la plage. Des garçons et des filles sont déjà installés dessus. Théo croit rêver, il pense être dans un hôtel de luxe comme
10 il en a vu dans des films.
Lucie lui dit :

Lucie : Et tu n'as encore rien vu. En été, on peut ouvrir le toit et c'est les Bahamas !

15 Soudain, Théo a le cœur qui bat. Fiona arrive dans un ravissant[20] maillot de bain vert, comme la couleur de ses yeux. Elle vient vers lui.

Fiona : Alors Théo qu'est-ce que tu attends ? La piscine, c'est pas un aquarium pour poissons rouges[21]... Avec une eau à
20 30°, tu dois venir te baigner !

Au même moment, on entend un grand « Plouf », suivi d'autres « Plouf » en série. Fiona est éclaboussée[22] et on entend un grand rire.

Fiona : Alban, tu trouves ça drôle ?
25 **Lucie :** Toujours aussi raffiné cet Alban... Je lui donne pas plus de trois ans d'âge mental[23] !...
Fiona : Bon Théo, qu'est-ce que tu attends pour te changer ?... Tu as peur de l'eau ? Moi, j'adore nager[24]...
Théobald : Non... Euh... Je ne sais pas trop... Euh... J'ai pas
30 pris mon maillot de bain...

Fiona : Oh excuse-moi Théo, je pensais qu'on te l'avait dit. Tu vois le coffre[25] là-bas ? … Il y a au moins trente modèles de maillots de bain … À tout de suite !...

Théo revient quelques minutes plus tard. Il a trouvé un short jaune avec des grenouilles[26] rouges un peu trop grand, mais ça ira. Théo a enlevé ses lunettes et il reste un moment au bord de la piscine sans bouger. Il s'approche doucement quand tout à coup, on le pousse[27] dans l'eau. Quand il refait surface[28], il voit Amandine et deux autres filles qui rient très fort. Elles regardent l'écran d'un appareil photo.

Une fille : Trop géniale la photo !

Amandine : Mdr, il a la bouche ouverte[29] !

Théo sort de la piscine. À cet instant, Pierre-Henry met ses mains en porte-voix[30] autour de la bouche et fait une annonce :

Pierre-Henry : Concours de plongeon[31], concours de plongeon !

Mylène, une fille du collège, s'approche de Théo :

Mylène : Hé Baldini, si tu veux avoir la classe, il faut montrer comment tu plonges.

Théobald : *(gêné)* Euh… Je sais pas trop plonger[32]…

Mylène : Allez cool, c'est pas un concours de plongeon académique mais au contraire celui[33] ou celle qui fera le plongeon le plus fou, sera le ou la meilleure. Il y a même un prix, le prix « Livingstone », tu sais, c'est le nom du goéland[34] qui faisait des plongeons extraordinaires[35].

Mais Pierre-Henry est déjà sur le plongeoir[36]. Il prend son élan[37] et fait une figure[38] compliquée qui provoque[39] à la fois l'admiration[40] et des rires. Il est aussitôt[41] suivi de participants[42] qui plongent de façon comique. À chaque fois, tout le monde donne des notes.

Fiona fait un beau plongeon et nage comme un dauphin[43]. Applaudie, elle sort de l'eau et passe devant Théo et dit à voix haute[44] :
Fiona : Hé Théo, c'est ton tour !

5 Alban crie :
Alban : Baldini ! Le plongeon !
Tout le monde crie en chœur[45] : « Baldini ! Le plongeon ! Baldini ! Le plongeon ! ».

Théo ne sait pas quoi faire mais il croise le regard[46] de Fiona
10 qui semble[47] lui dire : « Vas-y Théo ! Tu es le plus fort ! ».
Théo ne peut pas décevoir[48] Fiona. Alors il décide[49] d'avoir du courage. Il va faire un plongeon extraordinaire pour l'impressionner[50].

Tout le monde applaudit et rit en même temps. Théo monte sur le plongeoir. Il sent que tout le monde le regarde. Son cœur bat très fort, ses mains sont moites[51]. Et soudain, il pense à quelque chose : Jonathan Livingstone, le goéland, c'est l'histoire de cet oiseau incroyable qui se sent différent des autres et qui tente[52] les figures les plus folles… 5
Théo respire profondément[53], prend son élan et s'élève[54] dans les airs. Il crie « Livingstone », il écarte[55] les bras comme un oiseau et décide de battre des ailes[56]… Mais c'est bizarre… pourquoi est-ce que ça ne marche pas ? Il entend un grand « Splash ! » suivi 10 d'une douleur cinglante[57]. Il vient de faire le plus mauvais plat* sur le dos de toute sa vie.
Mais la plus grande douleur, c'est quand il sort de l'eau. Pourtant[58], tout le monde crie et applaudit. Peut-être après tout n'a t-il pas complètement raté son plongeon ? Il a un doute 15 pourtant de l'avoir réussi parce qu'il a le dos qui le brûle[59].
Lucie passe devant lui et regarde son dos. Elle dit :
Lucie : Ah oui, quand même !

Mais Fiona vient vers lui avec une serviette qu'elle lui met autour des épaules[60]. Théobald met ses lunettes. Si proche[61] de 20 lui, il reconnaît son parfum et cela le trouble[62]. Elle rit et dit :
Fiona : Bravo, Théo ! Tu as fait honneur[63] au *Club du Blason Royal* là !... Au fait, tu sais que t'es pas mal sans tes lunettes.

Lucie croise le regard de Fiona. Un regard qui semble dire qu'elle n'aime pas trop le double jeu de Fiona. Pourquoi l'a-t- 25 elle d'ailleurs invité ? Elle pense surtout à son année scolaire[64] et avoir une bonne relation avec Théo peut lui être bien utile[65].

* **Faire un plat :** mal tomber dans l'eau, le corps à l'horizontale.

Ce n'est pas très moral. Elle a tellement peur de quitter son collège et de se retrouver en Suisse.
La tante de Fiona arrive alors.
La tante: Bon allez les enfants, c'est fini la piscine. Les crêpes
5 sont prêtes !
Alban : Ah, ben finalement, c'est bien une soirée crêpes...
Lucie : Ha ha ha...

Tous les invités de Fiona crient en cœur de joie[66]. Mais Théo regarde son portable : zut*, il est tard. Sa mère va s'inquiéter.
10 Il est l'heure de rentrer.
Théobald : Allô maman, oui tu peux venir me chercher ?

* Zut : interjection, on l'utilise quand on n'est pas content.

6. Retour[1] sur Terre

Lundi matin. Théo est dans le bus qui va au collège. Il regarde par la fenêtre et se sent léger. Il ne peut s'empêcher de penser à Fiona et à son doux parfum quand elle s'est approchée de lui à la piscine pour lui donner une serviette[2]. Quel moment magique ! Il y a déjà du monde devant le collège Montaigne. 5

Michel Eyquem de Montaigne (1533-1592) : philosophe, écrivain, homme politique et moraliste français de la Renaissance. Auteur des « Essais », il a influencé toute la culture occidentale.

Des élèves discutent :
Un élève : Alors, t'étais à la soirée DGP ? T'en as de la chance.
Un élève : Ouais, trop mortel ! Attends, je te montre.

Il sort son téléphone portable et montre les photos de la soirée.
5 L'autre dit :
Un élève : Attends, j'y crois pas, c'est Baldini là ? Oh, le ringard* !
Un élève : Je te raconte pas la crise de rire !
Lucie : Ah, ça vous amuse ça ? Facile de se moquer de ce pauv' Baldini. Mais vous savez quoi, c'est vous les bouffons* ! !

10 8 h 58, les élèves rentrent déjà dans la cour et comme chaque matin, Théobald Baldini arrive essoufflé.
À la pause déjeuner[3], Théo remarque[4] Fiona et sa bande d'amis. Elle est plus jolie que jamais. Alors qu'il s'approche du petit groupe, Alban lui dit :
15 **Alban :** Alors Baldini, ça va ?

Puis demande aux autres :
Alban : Bon, on y va ? J'ai faim. Bon, à plus Baldini !

Lucie s'approche doucement de Théo.
Lucie : Salut Théo, ça va ?
20 **Théobald :** Oui, ça va, merci. C'était sympa la soirée samedi soir.
Lucie : Ouais, c'était... sympa. *(à ses copains)* Hé, attendez-moi, j'arrive. *(à Théo)* Bon, ben, à plus !

Les jeunes se dirigent vers le Niouz Café et laissent Théobald dans la cour. Sans un mot, il les regarde s'éloigner, sort son

* **Ringard (fam.) :** démodé, de mauvais goût.
* **Bouffons (fam.) :** terme méprisant. Nul, imbécile.

sandwich poulet-mayonnaise et va s'asseoir sur un banc. Il est 17 heures. À la sortie, Théo remarque Fiona seule, il prend son courage à deux mains et va lui parler :

Théobald : Salut, euh... c'était sympa samedi, merci pour l'invitation[5]. 5

Sans le regarder, Fiona pianote sur son Iphone et lui dit :

Fiona : Ah, ouais c'était sympa ! On a bien rigolé.

Théobald : Euh, j'ai pensé euh..., je peux encore t'aider pour les cours de maths.

Fiona : C'est gentil, Théo, mais je crois que ça sert à rien[6]. Je n'ai pas « la bosse des maths[7] » comme on dit. 10

Théo réfléchit un instant :

Théobald : Mais, vendredi y'a contrôle ?

Elle soupire.

Fiona : Oui, je sais. C'est la cata* ! Mon père va être furieux[8]. 15

À cet instant, une Jaguar verte s'arrête devant le collège et klaxonne[9].

Fiona : Bon, j'y vais, c'est ma mère. Ciao !

Théo la regarde partir. Lucie arrive.

Lucie : Alors, Théo, elle te plaît bien Fiona ? 20

Il se retourne. C'est Lucie. Il ne dit rien.

Lucie : Mais tu sais pour elle, l'important, c'est le style. Elle ne s'intéresse qu'aux garçons superficiels[10], le contraire de toi.

* Cata (fam.) : abréviation du mot « catastrophe ».

Théobald : Non, mais moi, euh... je veux juste être ami avec Fifi.

Lucie : Ami ? Tu rigoles. Tu pars à Gstaad en hiver et à Ibiza en été ? Tu as 1000 euros d'argent de poche par semaine ?
5 Ouvre les yeux, Théo. Wake up* ! Moi aussi, je viens du 18e arrondissement et je peux te dire que ce n'est pas facile de se faire des amis ici.

Théobald : Mais elle m'a dit que je faisais honneur au *Club du Blason Royal.*

10 **Lucie :** Honneur au *Club du Blason Royal* ? Va donc faire un tour sur Facebook et tu comprendras.

Théobald : Mais... comprendre quoi ?

Lucie : Bon, je te laisse, je dois rentrer. Salut !

* Wake up ! (angl.) : réveille-toi !

7. La vengeance[1] de Cœur de pirate

Facebook ? Théo connaît bien le réseau[2] Facebook. Il y a d'ailleurs un compte et fait partie[3] de différents groupes : « fans de Dark Vador », « le clan des adorateurs du côté obscur de la force », « Quantic physics fan club », « le groupe des lanceurs de tartines[4] de nutella qui tombent toujours du bon côté ». Autant de[5] groupes qui lui permettent de[6] communiquer avec des milliers[7] d'amis dans le monde.
Mais qu'est-ce qu'a bien voulu dire Lucie ? Soudain, Théo a une idée, il va sur Facebook et cherche *Club du Blason Royal.* Mais comment avoir accès aux informations ? Il doit devenir membre[8]. Théo se crée alors un nouveau profil. Voyons. Pourquoi pas Charles-Edouard de Beaumont, aka Cœur de pirate ? Et comme avatar ? Une tête de mort en forme de cœur. Il envoie sa demande et à sa surprise elle est acceptée dans la minute.

Aussitôt, il tombe sur une galerie de photos de la soirée DGP. Il apparaît sur toutes les photos et c'est le choc. Il lit les commentaires.

▷ Baldini, le roi des ringards.
Mylène

▷ Quand Dark Vador devient Tarte Vador.
Alban

▷ C'était la fièvre du Samedi soir, John Travoltarte en action !
Pierre-Henry

▷ Je vous raconte pas. J'ai dansé avec lui. Il sentait la naphtaline*.
5 *Amandine*

▷ Qu'est-ce qu'on a rit avec Fifi quand il est parti ! On dit qu'il est amoureux d'elle. Mdr.
Zoé

10 ▷ Trop drôle, il faudra l'inviter plus souvent.
Archibald

Théo est confus. Soudain, il reçoit un message en chat*. Princesse Fifi est connectée. Elle demande à être amie. Théo
15 a le cœur qui bat car il reconnaît Fiona sur la photo. Il accepte tout de suite.

Princesse Fifi
▷ Bienvenue Cœur de pirate !

Théo qui est encore sous le choc, ne répond pas.

20 *Princesse Fifi*
▷ Tu es timide Cœur de pirate ?

* **Naphtaline :** produit anti-mite, permet de conserver en bon état les vêtements.
* **Chat (angl.) :** terme pour désigner les conversations écrites en ligne. Au Québec on parle de « clavardage ».

Cœur de pirate
▷ Ave, « Princesse » Fifi.

Princesse Fifi
▷ Pourquoi « Cœur de pirate » ?

Cœur de pirate 5
▷ Tu le sauras en temps voulu[9].

Princesse Fifi
▷ Tu m'as l'air bien mystérieux[10].

Cœur de pirate
▷ Le vrai mystère[11] du monde est le visible[12] et non l'invisible… 10
J'ai beaucoup aimé les photos de votre soirée.

Princesse Fifi
▷ Ouais, c'était génial ! On a invité le nerd de notre classe, c'était trop drôle. J'espère que tu viendras à la prochaine soirée. ☺ 15

Cœur de pirate
▷ Peut-être, peut-être, mais je suis très occupé[13]… Et toi ?

Princesse Fifi
▷ Ouais, j'ai beaucoup de travail à l'école, et c'est très dur ☹. Si j'ai pas la moyenne[14] aux prochains contrôles, je vais avoir des 20 problèmes.

Cœur de pirate
▷ Je peux peut-être t'aider ?

Princesse Fifi
▷ Ah, bon ?

Cœur de pirate
▷ Ouais. Je peux craquer le serveur du collège et te donner les
5 sujets du prochain contrôle.

Princesse Fifi
▷ Ah, ouais, je sais. Le nerd de notre classe m'en a parlé. Mais, tu connais mon collège ? Je suis à Montaigne.

Cœur de pirate
10 ▷ Non, non, pas du tout ! Juste de nom. Mais ton nerd a raison, c'est un jeu d'enfant de rentrer dans la boîte mail[15] des profs.

Fifi est intéressée.

Princesse Fifi
▷ Et tu pourras avoir les sujets de maths ?

15 *Cœur de pirate*
▷ Super simple. Connecte-toi demain à la même heure.

8. Un pirate au grand cœur ?

Vendredi 15 heures en classe de maths. Mme Laforge donne le dernier contrôle. Silence général.

En France, les copies sont notées de 0 à 20, 20 étant la meilleure note.

Mme Laforge : Eh bien, nous avons assisté à[1] un événement dans cette classe. Mlle Duplessy, M. de Tassigny, Mlle Béranger et M. Bloch-Morizet, bravo au *Club du Blason Royal*. Vous avez eu tous 18/20. Quel miracle[2] ! Vous avez décidé d'aimer[3] les mathématiques. J'espère que je n'aurai pas de mauvaise surprise au contrôle de fin d'année. M. Baldini, pas de surprise, 19/20.

Les discussions sont animées dans la cour à la sortie des cours.

Fiona : Vous avez vu, ça a marché. C'était pas du baratin*. Il nous a envoyé les sujets avec la solution en plus.

Alban : Oui, trop la classe, ce cœur de pirate.

5 **Pierre-Henry :** *(à voix basse)* Chut, ne parlez pas si fort…

Théo s'approche du groupe qui continue sa conversation.

Amandine : En plus, Cœur de pirate, c'est romantique comme nom… Je me demande s'il est mignon.

Fiona : Ouais, mais surtout il est trop cool. J'espère que je vais

10 bientôt le rencontrer.

Théobald : Salut ! Bravo Fiona, c'est super. Tu vois que c'est pas difficile.

Alban : Bientôt, on aura des meilleures notes que toi. Ah, ah !

Fiona : Bon, ben, j'y vais. J'ai rendez-vous avec - vous savez

15 qui - sur le chat…

Théobald : Euh, Fiona, je voulais te parler…

Fiona : Désolée, je n'ai pas le temps. Ciao !

Amandine : Oh là là, elle est en train de tomber amoureuse de son Cœur de pirate, ou quoi ?

20 **Théobald :** Bon, ben j'y vais aussi. À demain !

Fiona se connecte sur le chat de Facebook. Avec impatience[4], elle espère que Cœur de pirate sera au rendez-vous. Elle attend une demi-heure, toujours rien. Mais soudain, un message.

25 *Cœur de pirate*

▷ Ave, Princesse Fifi.

* Baratin (argot.) : une tromperie, un mensonge.

Princesse Fifi
▷ Salut, Cœur de pirate ! Je t'attendais.

Cœur de pirate
▷ Désolé, mais j'ai pas trop le temps en ce moment.

Princesse Fifi
▷ Oh, dommage, je voulais te parler et te remercier pour[5] les sujets.

Princesse Fifi
▷ Tu es toujours là ?

Cœur de pirate ne répond pas.

Cœur de pirate
▷ T'inquiète pas pour ça, c'est rien... Entre membres du *Club du Blason Royal*, il faut bien s'aider...

Princesse Fifi
▷ C'est vrai la solidarité, c'est important, mais j'aimerais quand même te remercier... On pourrait se rencontrer ?

Théo ne s'attendait pas à cette demande, il ne sait pas quoi répondre.

Cœur de pirate
▷ Oui, pourquoi pas la semaine prochaine ? C'est les vacances et j'ai un peu de temps.

Princesse Fifi
▷ Ah… La semaine prochaine ? Pas possible, je pars en vacances en Floride avec mon père.

Cœur de pirate
▷ En Floride ? Pourquoi en Floride ?

Princesse Fifi
▷ En fait, je le dis à personne mais mon rêve, c'est d'aller nager
5 avec les dauphins.

Cœur de pirate
▷ Tu vas à Key West, à Key Largo ou à Panama City Bay ?

Princesse Fifi
▷ Comment tu sais ça, c'est incroyable ? Je vais à Panama City
10 Bay.

Cœur de pirate
▷ Disons que moi aussi je m'intéresse aux dauphins…

Princesse Fifi
▷ Tu t'intéresses aux dauphins ? C'est génial… Moi, depuis
15 que je suis toute petite, je les adore…

Cœur de pirate
▷ Oui, moi aussi... Je suis fasciné par les Grands dauphins[6]…

Princesse Fifi
▷ Ceux qui cherchent le contact avec l'homme ?

20 *Cœur de pirate*
▷ Exactement… Comme ceux de Panama City Bay en Floride…

Princesse Fifi
▷ Tu as lu « Un animal doué de raison[7] » ?

Cœur de pirate

▷ Bien sûr, j'adore ce roman de Robert Merle dans lequel le Docteur Sevilla apprend l'anglais à un couple[8] de dauphins.

Princesse Fifi

▷ Moi ce que je trouve fantastique chez ces dauphins, c'est qu'ils guident les bateaux perdus dans la tempête et qu'ils sauvent[9] les naufragés[10]. 5

Robert Merle : romancier et dramaturge français (1908-2004), est l'auteur de « Un animal doué de raison » et de la série de romans historiques « Fortunes de France ».

Cœur de pirate

▷ Oui et ce qui est fou, c'est qu'ils ne dorment jamais !

Princesse Fifi 10

▷ Mais c'est trop cool tout ce que tu sais sur les dauphins, Cœur de Pirate... Je ne peux vraiment pas attendre de te rencontrer. Tu habites où ? Je peux venir te voir.

Théo ne répond pas.

Princesse Fifi
▷ Tu es toujours là ?

Cœur de pirate
▷ Bon, si tu veux, on peut se voir dans une heure au Niouz Café, tu connais ?

Princesse Fifi
▷ Oui bien sûr, c'est notre QG*. Super, mais comment je vais te reconnaître ?

Cœur de pirate
▷ Moi, je te reconnaîtrai.

Princesse Fifi
▷ Génial ! À tout' !

Fiona se regarde dans le miroir. Elle n'arrive pas à le croire. Elle a rendez-vous avec Cœur de pirate. Soudain, elle panique, est-ce qu'elle est assez jolie, est-ce qu'elle va lui plaire ? Elle va dans sa garde-robe et choisit sa robe préférée, une robe Zadig & Voltaire. Oh, vite, il est déjà moins 5. Elle se met du gloss[11] et sort.

Cela fait 10 minutes que Fiona est au Niouz Café. Mais où est donc Cœur de Pirate ? Assise à une table en face de l'entrée, elle jette des regards autour d'elle pour être sûre de ne pas manquer son rendez-vous.

* **QG** : quartier général.

À cet instant, Théo entre dans le café et s'approche d'elle. Fiona panique :

Fiona : Euh, salut Théo, euh désolée, mais j'ai pas trop le temps.

Théobald : Fiona, je dois te dire quelque chose.

Fiona : Excuse-moi Théo, mais, là, j'ai VRAI-MENT pas le temps. J'ai un rendez-vous. 5

Théobald : Oui, je sais.

Fiona : C'est bien, alors, laisse-moi. C'est un rendez-vous très important. On pourra se voir plus tard...

Théobald : D'accord, je veux bien te laisser, mais tu risques de rater ton rendez-vous. 10

Fiona : C'est sûr que si tu restes là, je vais le rater mon rendez-vous. Allez, au revoir Théo !

Théobald : Bon, comme tu veux... J'expliquerai à Cœur de Pirate que tu ne voulais pas le voir. 15

Fiona sursaute[12] :

Fiona : Attends !! Qu'est-ce que tu dis là ?

Théobald : Je dis que j'expliquerai à Cœur de Pirate que tu ne voulais pas le voir.

Fiona : Je ne comprends rien. Tu... tu connais Cœur de pirate ?? 20

Théobald : Oui, Fiona. Très bien.

Fiona *(surprise)* : Ah, bon ? C'est un ami ??

Théobald : Oui, un très bon ami même.

Silence.

Théobald : Edouard de Beaumont, c'est moi. 25

Fiona ouvre grand ses yeux et n'arrive plus à parler.

Fiona : Quoi ? Cœur de Pirate, c'est toi ?

Théobald : Oui, Fiona. J'ai inventé Cœur de Pirate parce que je voulais me venger[13]. Je voulais vous donner les mauvais

sujets pour le dernier contrôle du trimestre parce que je sais que c'est le plus important.
Fiona : Te venger ? Mais pourquoi ?
Théobald : Quand j'ai vu sur Facebook tous les commentaires que vous avez laissés sur moi... Je sais bien que je ne suis pas stylé comme les membres du *Club du Blason Royal* et que je ne ferai jamais partie de votre monde...
Fiona : Mais qu'est-ce que tu racontes ? Je ne comprends pas.
Théobald : Si, tu comprends très bien. C'est vrai que ça devait être très drôle de danser avec un ringard comme moi... Mais voilà, je ne peux pas me venger, je ne suis pas comme ça. Voici les sujets du prochain contrôle.

Il pose sur la table une feuille de papier pliée en deux[14]. Fiona n'a toujours rien dit, Théo quitte le Niouz Café.

Elle l'appelle.
Fiona : Théo, attends !
Mais Théo est déjà parti.

9. Épilogue

Mercredi, 15h30. Mme Laforge rend le dernier contrôle du trimestre.

Mme Laforge : Bon, il semble y avoir un retour à la normalité. Mlle Duplessy, 4/20, M. de Tassigny, 7/20, Mlle Béranger, c'est un peu mieux 9/20. M. Bloch-Morizet 1/20. Vous voulez rentrer dans le Guinness Book ? Et M. Baldini, ben alors qu'est-ce qui se passe ? Un petit 16/20… 5

Théo ne comprend plus rien. Alban, Pierre-Henry, puis Lucie le regardent et lui sourient. 10

Mme Laforge : Qu'est-ce qui ne va pas, M. Baldini ? Ne vous mettez pas dans tous vos états[1] pour cette note ! Un 16/20, c'est pas si mal.

Fiona fait alors un clin d'œil[2] à Théo.

À la sortie du cours, Fiona court vers Théo : 15

Fiona : Théo, Théo !

Théobald : Mais qu'est-ce qui s'est passé ?

Fiona : J'ai déchiré[3] le sujet… Tu sais, j'ai beaucoup réfléchi et j'ai discuté avec les membres du *Club du Blason Royal*. On n'a pas été sympas avec toi. On n'est pas méchants, mais on croit être drôles alors qu'on ne l'est pas toujours… 20

Théobald : Ne t'excuse pas. Je n'ai pas été cool non plus. C'était pas une très bonne idée de prendre une autre identité et te faire croire que j'allais t'aider. Mais j'espère surtout que le proviseur ne va pas apprendre que j'ai craqué le serveur du collège, sinon[4] je peux dire adieu à Montaigne…

Fiona : Non, ne t'inquiète pas, notre devise au *Club du Blason* 5 *Royal*, c'est « Liberté, Solidarité, Élégance ! »* Et c'est aussi ta devise maintenant si tu le veux bien.

Théobald : Merci, Fiona, j'accepte la devise du *Club du Blason Royal.*

Fiona : Bon, alors maintenant qu'on est tous solidaires, tu dois m'aider car j'ai un vrai problème. Si je ne veux pas rater 10 mon année, il me faut absolument des cours de maths. Tu es d'accord pour me donner des cours ?

Théobald : Oui, bien sûr, quand tu veux, mais à une condition[5]…

Fiona : Laquelle ?

Théobald : Moi aussi, il me faut absolument ton aide.

15 **Fiona :** Ah, bon ? Tu veux des conseils en mode ?

Théobald : Non, des cours de plongeon…

Fiona rigole.

Théobald : Non, plus sérieusement, je cherche un modèle pour le personnage principal de mon prochain jeu.

20 **Fiona :** Sans problème, Théo. C'est quoi ce jeu ?

Théobald : Ça s'appelle Dolphy One...

Fiona : Attends, je devine. Ça se passe avec des dauphins ?

Théobald : Exactement ! Et toi, tu seras l'avatar de l'instructrice[6] du delphinarium.

25 **Fiona :** Et le but[7] du jeu, c'est quoi ?

Théobald : Super simple : il faut réussir à nager avec les dauphins... Mais comme dans la réalité, les dauphins n'acceptent pas toujours. Alors, j'ai besoin d'une experte comme toi…

* **« Liberté, Solidarité, Elégance »** : devise inspirée de la devise de La République française : « Liberté, Égalité, Fraternité ».

Fiona : Tu sais, finalement les dauphins, c'est comme les êtres humains[8]. Il faut les comprendre et les apprivoiser[9]...

1. Dimanche soir chez les Baldini

1. Avez-vous compris le chapitre ? Cochez vrai ou faux.

	vrai	faux
Mme Baldini a appelé trois fois Théo.		
M. Baldini dit qu'avec Internet, Théo trouvera des amis.		
Mme Baldini pense que Théo travaille mal à l'école.		
La chambre de Théo n'est pas rangée.		
Théo discute beaucoup avec ses parents.		
Sa mère lui propose de faire un tour à vélo avec son père.		

2. Lisez ces deux textes. Lequel résume le mieux le chapitre ?

Résumé 1 ☐

Théo Baldini vit avec sa mère qui le comprend et son père qui pense qu'Internet n'est pas bien pour lui. Il a une chambre très ordonnée et adore les mangas. Il descend manger avec ses parents en lisant un magazine.

Résumé 2 ☐

Les Baldini vont manger et Théo, comme d'habitude, est devant l'ordinateur. Il adore les mangas, les BD de science fiction.
Ses parents l'attendent et Théo arrive avec un magazine à la main.

3. Répondez aux questions suivantes.

1 Comment s'appellent les jeux auxquels joue Théo ?

---

2 Que programme-t-il ?

---

3 A-t-il beaucoup d'amis selon son père ? Pourquoi ?

---

4 Pourquoi les parents de Théo n'entrent-ils pas dans sa chambre ?

---

5 Comment sont les lunettes de Théo ?

---

6 Est-ce que Théo parle beaucoup avec ses parents ?

---

4. Qu'est-ce qu'il y a dans la chambre de Théo : regardez les images et associez-les aux mots.

1 Un globe terrestre
2 Une BD
3 Un manga
4 Un ordinateur
5 Un robot Lego

2. Au collège Montaigne

1. Associez les phrases.

1. Théo a changé de collège car
2. Mme Laforge interroge
3. Théo est essoufflé car
4. Théo regarde Fiona
5. Fiona critique

a. il a raté son bus.
b. qui est une jolie fille blonde.
c. le look de Théo.
d. ses profs ont proposé une meilleure école pour lui.
e. Alban qui fait rire la classe.

2. Quelle phrase décrit le mieux chaque personnage ? Cochez la bonne case.

	Théo	Mme Laforge	Pierre-Henri
Il court le long de la rue.			
Elle teste l'humour d'Alban au tableau.			
Il ne pense qu'à critiquer Théo.			
Il a un look particulier différent des autres élèves.			
Il résout l'équation rapidement.			
Elle félicite Théo.			
Il parle de mode.			

3. Répondez aux questions suivantes.

1 Comment Théo va-t-il au collège Montaigne ?

____

2 Comment sont les élèves qui vont à ce collège ?

____

3 Quel cours a-t-il le lundi à 9h ?

____

4 Pourquoi Théo pourrait donner des cours de rattrapage aux autres élèves ?

____

4. Associez chaque mot à sa définition.

essoufflé | bronzage | rater | frappe | flatté

1 Avant de rentrer dans un bureau, on _______________ à la porte .

2 Si on ne se presse pas, on peut _______________ le train.

3 On est content et fier d'une réflexion sur soi, on est _______________ .

4 Si on court trop, on sera _______________ .

5 Une personne qui a pris beaucoup de couleur au soleil a un joli _______________ .

3. Le Club du Blason Royal

1. Vous avez lu ce chapitre, soulignez la bonne réponse.

1 Lucie sourit car la sonnerie du portable de Théo est...

- **a** *La fièvre du samedi soir.*
- **b** *La guerre des étoiles.*
- **c** *La guerre des internautes.*

2 Lucie a quelque chose en commun avec Théo...

- **a** elle aime la mayonnaise.
- **b** elle aime la science fiction.
- **c** elle habitait dans le même quartier.

3 Théo a dépensé son argent dans...

- **a** un coca.
- **b** une BD.
- **c** un vêtement.

4 Théo peut être pour les élèves du collège...

- **a** leur sauveur.
- **b** leur ami.
- **c** leur frère.

5 Le club du Blason Royal fera la fête chez...

- **a** Lucie.
- **b** Pierre-Henry.
- **c** Fiona.

2. Remettez dans l'ordre les phrases du chapitre.

☐ Son téléphone sonne avec la musique de *La guerre des étoiles*.

☐ Le club du Blason Royal va faire une soirée années 80.

☐ Les membres du club organisent une fête chez Fiona.

☐ Le lundi, la mère de Théo lui prépare un sandwich poulet-mayo.

☐ Théo rentre chez lui heureux.

☐ Fiona demande à Théo de l'aider en maths mercredi.

☐ Tout le club du Blason Royal discute dans le café.

☐ Lucie lui propose de venir au café Niouz.

3. Complétez la grille après avoir lu les définitions.

	1										
1									3		4
		4									
3											
						2					
	2										

Horizontalement :

1. Consommer de l'argent.
2. Petit concombre au vinaigre.
3. Prendre la couleur d'une tomate.
4. Étinceler/démontrer son intelligence.

Verticalement :

1. Goûter pour apprécier la qualité d'un aliment.
2. Spécialités bretonnes, à l'envers.
3. Synonyme de comique.
4. Ce qui se produit.

4. Un rendez-vous chez Fiona

1. Avez-vous compris le chapitre ? Cochez vrai, faux ou « on ne sait pas ».

	vrai	faux	?
Quand Théo arrive chez Fiona, il pense que Mercedes est sa mère.			
L'appartement de Fiona est aussi petit que celui de Théo.			
Le père de Fiona est rarement présent.			
C'est une vraie surprise : Fiona comprend tout en maths.			
Théo explique qu'on peut craquer le serveur du collège.			
Théo n'est pas content d'être invité à la soirée du club.			
Les autres garçons s'habillent très chic et cher.			

2. Associez les dix mots du chapitre à leur signification.

1 retoucher
2 illégal
3 craquer
4 s'entraîner
5 soupirer
6 (un) internat
7 (un) bureau
8 (un) lustre
9 surprise
10 repasser

a respirer avec une émotion
b défroisser un vêtement
c un pensionnat
d étonnée
e une table de travail
f modifier un vêtement
g pirater un serveur informatique
h qui n'est pas en règle
i s'exercer
j une lampe accrochée au plafond

3. Théo envoie un courrier électronique à Fiona pour la remercier de l'avoir invité chez elle. Il lui raconte qu'il a été surpris par son appartement et son ordinateur. Il lui propose de l'aider plus en maths. Écrivez ce courriel.

5. La Dandy Garden Party

1. Lisez ces deux textes. Lequel résume le mieux le chapitre ?

Résumé 1 ☐

Théo se prépare pour la DGP. Il est habillé chic et tout le monde lui sourit. Fiona est contente de le voir et lui propose de plonger.
Théo se fait mal mais les amis de Fiona sont sympas avec lui.
Il est tard et il téléphone a sa mère pour rentrer.

Résumé 2 ☐

Fiona a invité Théo à la DGP. Il arrive et tout le monde lui fait des sourires. Les élèves prennent des photos de Théo dansant et de Théo dans l'eau. Il rate son plongeon. Lucie comprend la situation. Il est tard et Théo décide de rentrer chez lui.

2. Avez-vous compris le chapitre ? Cochez vrai ou faux.

	vrai	faux
L'appartement de Fiona est celui de sa mère.		
Tout le monde est gentil avec Théo.		
Lucie essaye de défendre Théo.		
Théo est dans un hôtel de luxe comme dans les films.		
Fiona propose à Théo de venir nager.		
Théo a apporte son maillot de bain jaune.		
Théo ne réussit pas son plongeon.		
Théo se régale des crêpes de la tante de Fiona.		

3. Le vocabulaire des jeunes. Associez les quatre mots du chapitre à leur signification.

1	un costard	a	exagérer
2	mdr	b	c'est incroyable
3	être lourd	c	costume
4	c'est dingue	d	mort de rire, amusant

4. Remettez dans l'ordre les phrases du chapitre.

- [ ] On pousse Théo en maillot jaune dans l'eau.
- [ ] À la fête, on se moque des vêtements de Théo.
- [ ] Il arrive chez Fifi qui est très belle.
- [ ] Théo rate son plongeon et a très mal.
- [ ] Théo s'habille avec les conseils de ses parents.
- [ ] Il y a un concours de plongeon.
- [ ] Lucie comprend le vrai jeu de Fiona.
- [ ] Tout le monde le prend en photo et lui sourit.
- [ ] Théo doit rentrer car il est déjà tard.
- [ ] Lucie et Théo arrivent sur la terrasse où se trouve la piscine.

6. Retour sur terre

1. Qui est comment ? Retrouvez le caractère de Théo, Fiona et Lucie. Cochez la bonne case.

	réaliste	méchant(e)	heureux(se)	faux(sse)	crédule	direct(e)
Théo						
Fiona						
Lucie						

2. Complétez ce tableau avec le vocabulaire du chapitre.

verbe	nom	adjectif
amuser		
	courage	essoufflé
	invitation	

3. Soulignez la bonne réponse et répondez aux questions.

1 Devant le collège, il y a...

- **a** beaucoup de monde.
- **b** peu de monde.
- **c** personne.

2 Pourquoi Lucie n'est-elle pas contente ?

____

3 Théo arrive au collège...

- **a** étonné.
- **b** essoufflé.
- **c** ému.

4 Comment Théo a-t-il trouvé la soirée DGP ?

____

5 Fiona n'a pas la...

- **a** basse des maths.
- **b** face des maths.
- **c** bosse des maths.

6 Qu'est-ce que Lucie demande à Théo de faire ?

____

7. La vengeance de Cœur de pirate

1. Le profil de Théo sur Facebook. Répondez aux questions suivantes.

1 Combien de compte Facebook Théo a-t-il ?

2 Que cherche Théo sur Facebook ?

3 Pourquoi Théo doit-il devenir membre du *Club du Blason Royal* ?

4 Quel est le nouveau profil de Théo ?

2. Après avoir lu l'histoire, écrivez le nom de la personne qui fait chacune de ces actions.

	nom
Il regarde les photos sur la page du Club du Blason Royal.	
Elle est connectée.	
Elle commente que Théo sentait la naphtaline.	
Il appelle Théo « John Travoltarte ».	
Il est en état de choc.	
Elle raconte la soirée.	
Il propose de l'aider en maths.	
Elle est intéressée par l'offre de Cœur de Pirate.	

3. Relisez le chapitre et complétez le résumé avec les mots que vous trouverez.

Théo se crée un nouveau ______________ et entre sur la ______________ du Club du Blason Royal. C'est le ______________ . Fiona et ses amis font des ______________ très méchants sur Théo. Fiona demande à être ______________ avec Cœur de Pirate. Elle lui explique qu'ils ont invité le ______________ de la classe à la fête. Cœur de Pirate propose à Fiona de ______________ le serveur du collège pour récupérer les ______________ du prochain contrôle.

4. Recherchez ces mots du chapitre dans la grille ci-dessous.

x	d	r	a	g	n	i	r	j	u	e	o	m
f	e	u	o	r	j	u	b	t	o	a	z	y
n	s	t	z	y	p	e	l	t	r	i	p	s
s	e	r	l	e	g	u	a	u	e	z	l	t
j	c	r	a	q	u	e	r	u	s	y	o	e
c	t	t	d	r	a	p	y	l	e	i	a	r
o	u	o	e	e	a	b	e	l	a	o	g	i
n	y	k	g	a	p	k	y	t	u	j	a	e
f	s	e	t	a	r	i	p	z	d	b	t	u
u	h	a	i	p	j	b	b	g	e	o	l	x
s	u	e	h	e	d	i	n	v	i	t	e	r

- craquer
- pirate
- nerd
- réseau
- ringard
- inviter
- confus
- mystérieux

8. Un pirate au grand cœur ?

1. Avez-vous compris le chapitre ? Cochez vrai ou faux.

	vrai	faux
Fiona et ses amis ont une bonne note à l'examen de maths.		
Fiona a eu les sujets avec son père.		
Elle est impatiente de chatter avec Cœur de Pirate.		
Elle le remercie pour les sujets et veut le rencontrer.		
Le rêve de Fiona est d'aller en Floride.		
Ils aiment tous les deux les dauphins.		
Ils vont se rencontrer à la gare.		

2. Lisez ces définitions et retrouvez les mots dans le chapitre.

1 L'incapacité d'attendre c'est l' ________________ .

2 Les thèmes de l'examen sont les ________________ .

3 Se déplacer dans l'eau avec des mouvements appropriés c'est ________ .

4 Perdus en mer, ce sont des ________________ .

5 Identifier quelqu'un c'est ________________ quelqu'un.

6 Manquer un rendez-vous c'est ________________ le rendez-vous.

3. Répondez aux questions.

1 Pourquoi Fiona panique-t-elle ?

2 Est-ce que Fiona attend Théo au café ?

3 Comment est Fiona quand elle dit « Théo, j'ai VRAI-MENT pas le temps » ?

4 Pourquoi Fiona ne pense pas que Théo soit Cœur de Pirate ?

5 Pourquoi Théo a-t-il inventé Cœur de Pirate ?

6 Qu'est-ce que Théo pose sur la table avant de partir ?

7 Comment se termine la rencontre ?

4. Essayez de reproduire, sous forme de dialogue, le chat entre Fiona et Cœur de Pirate -alias Théo- après leur rencontre au café.

9. Épilogue

1. Associez les phrases.

1	Mme Laforge est surprise	a	apprenne qu'il a volé les sujets.
2	Fiona et ses amis	b	Fiona a besoin de cours de maths.
3	Théo a peur que le proviseur	c	deviennent amis.
4	Pour ne pas rater son année	d	car Théo n'a eu que 16 à l'examen.
5	Théo a besoin de Fiona	e	pour son nouveau jeu.
6	Fiona et Théo	f	ont déchiré le sujet.

Comment comprenez-vous la dernière phrase de Fiona ?

« Les dauphins, c'est comme les êtres humains. Il faut les comprendre et les apprivoiser »

2. Associez chaque mot à sa définition.

réfléchir — clin d'œil — apprivoiser — devise — proviseur

1. Un groupe d'amis a un slogan, une ______________________ .
2. Pour qu'un animal ne soit plus sauvage, on peut ______________ cet animal.
3. Le responsable du collège est le ______________________ .
4. Penser c'est ______________________ .
5. Il m'a fait un signe de l'œil, c'est un ______________________ .

3. Choisissez la bonne réponse.

1 Les amis de Fiona...

- **a** se moquent de Théo.
- **b** s'excusent.
- **c** lui sourient.

2 Fiona et ses amis ont discuté et savent qu'ils n'ont pas été...

- **a** sévères.
- **b** sympas.
- **c** arrogants.

3 Théo s'excuse car il a utilisé...

- **a** une autre identité.
- **b** une autre photo.
- **c** une autre marque.

4 Théo veut des conseils pour...

- **a** la mode.
- **b** les maths.
- **c** les plongeons.

5 Dans le jeu de Théo, il faut...

- **a** danser.
- **b** nager.
- **c** parler.

Cœur de pirate

Français	Anglais	Espagnol	Italien
1. Dimanche soir chez les Baldini			
[1] **journal télévisé** (m.)	TV News	telediario	telegiornale
[2] **se mettre à table**	to sit at the dinner table	sentarse a la mesa	sedersi a tavola
[3] **État** (m.)	State	Estado	Stato
[4] **se réunir**	to meet	reunirse	riunirsi
[5] **réchauffement climatique** (m.)	global warming	calentamiento climático	riscaldamento climatico
[6] **tablier** (m.)	apron	delantal	grembiule
[7] **autour de**	around	alrededor de	intorno a
[8] **dîner** (m.)	dinner/supper	cena	cena
[9] **exagérer**	to exaggerate	exagerar	esagerare
[10] **pâle**	pale	pálido	pallido
[11] **pianoter**	to tap	teclear	digitare
[12] **tellement… que**	so... that	tan… que	tanto... che
[13] **encombré**	cluttered	atestado	ingombrante
[14] **collection** (f.)	collection	colección	collezione
[15] **bouclé**	curly	rizado	riccio
[16] **clair**	light-coloured	claro	chiaro
[17] **épais**	thick	grueso	spesso
[18] **soulever**	to lift	levantar	sollevare
[19] **se frotter les yeux**	to rub one's eyes	frotarse los ojos	strofinarsi gli occhi
[20] **bailler**	to yawn	bostezar	sbadigliare
2. Au collège Montaigne			
[1] **sauter**	to leap off	saltar	saltare
[2] **déposer**	to drop off	dejar	deporre
[3] **ancien**	former	antiguo	antico
[4] **d'ailleurs**	besides	además	inoltre

Français	Anglais	Espagnol	Italien
[5] **un an d'avance**	a year ahead	un año por delante	un anno prima
[6] **puisque**	since	ya que	poiché
[7] **triangle rectangle** (m.)	right angled triangle	triángulo rectángulo	triangolo rettangolo
[8] **se diriger vers**	to make one's way to	dirigirse hacia	dirigersi a
[9] **d'un pas décontracté**	in a relaxed manner	con paso relajado	tranquillo
[10] **avoir l'air perdu**	to seem lost	estar perdido	essere assorto nei pensieri
[11] **plutôt**	rather	más bien	piuttosto
[12] **triangle des Bermudes** (m.)	Bermuda Triangle	triángulo de las Bermudas	Triangolo delle Bermuda
[13] **avoir l'impression que**	to have a feeling that	tener la impresión de que	avere l'impressione che
[14] **bronzage** (m.)	tan	bronceado	abbronzatura
[15] **vaisseau spatial** (m.)	space ship	nave espacial	astronave
[16] **frapper à la porte**	to knock at/on the door	llamar a la puerta	bussare alla porta
[17] **être essoufflé**	to be out of breath	estar sin aliento	essere senza fiato
[18] **vestimentaire**	clothing	indumentario	abbigliamento
[19] **polaire**	fleece	polar	pile
[20] **à carreaux**	plaid	a cuadros	a quadri
[21] **velours** (m.)	velvet	terciopelo	velluto
[22] **semelle** (f.)	sole	suela	suola
[23] **rater**	to miss	perder	perdere
[24] **coup de craie** (m.)	chalk line	golpe de tiza	tratto di gesso
[25] **résoudre une équation**	to solve an equation	resolver una ecuación	risolvere un'equazione
[26] **cours de rattrapage** (m.)	remedial course	clase de refuerzo	corso di recupero
[27] **être flatté**	to be flattered	sentirse halagado	essere lusingato
[28] **jeter un regard**	to glance	mirar	guardare
[29] **yeux en amande**	almond-shaped eyes	ojos rasgados	occhi a mandorla

Français	Anglais	Espagnol	Italien
[30] **rang** (m.)	row	fila	fila
[31] **chuchotement** (m.)	whisper	cuchicheo	sussurro
[32] **ouais**	yeah	sí	sì

3. Le Club du Blason Royal

Français	Anglais	Espagnol	Italien
[1] **déguster qqch**	to enjoy	saborear algo	degustare
[2] **s'approcher de**	to come up to	acercarse a	avvicinarsi a
[3] **à cet instant**	at that moment	en ese momento	in quel momento
[4] **rougir**	to blush	enrojecer	arrossire
[5] **cornichon** (m.)	pickle	pepinillo	cetriolino, babbeo
[6] **dépenser**	to spend	gastar	spendere
[7] **blason** (m.)	coat of arms	blasón	stemma
[8] **sembler**	to seem	parecer	sembrare
[9] **animé**	lively	animado	animato
[10] **avoir lieu**	to take place	tener lugar	avere luogo
[11] **chambrer**	to tease	burlarse de	prendere in giro
[12] **sauveur** (m.)	saviour	salvador	salvatore
[13] **compliqué**	complicated	difícil	complicato
[14] **événement** (m.)	event	acontecimiento	avvenimento
[15] **n'importe quoi**	anything	cualquier cosa	qualsiasi cosa
[16] **ne pas pouvoir s'empêcher de faire qqch**	cannot stop oneself from doing sth	no poder evitar hacer algo	non poter evitare di fare qlc
[17] **lèvre** (m.)	lip	labio	labbro

4. Un rendez-vous chez Fiona

Français	Anglais	Espagnol	Italien
[1] **repassé**	pressed	planchado	ripassare
[2] **ciré**	polished	encerado	lucidato
[3] **gominé**	slicked	engominado	imbrillantinato
[4] **taper**	to enter	teclear	battere
[5] **digicode** (m.)	4-digit door code	código digital	codice
[6] **ascenseur** (m.)	lift (UK) / elevator (USA)	ascensor	ascensore

Français	Anglais	Espagnol	Italien
[7] **souriant**	smiling	sonriente	sorridente
[8] **se tromper d'étage**	to be on the wrong floor	equivocarse de piso	sbagliare piano
[9] **apparaître**	to appear	aparecer	apparire
[10] **avatar** (m.)	avatar	avatar	avatar
[11] **blouson** (m.)	jacket/blazer	cazadora	giubbotto
[12] **lustre** (m.)	chandelier	lámpara de techo	lampadario
[13] **plafond** (m.)	ceiling	techo	soffitto
[14] **coussin** (m.)	cushion	cojín	cuscino
[15] **sol** (m.)	ground/floor	suelo	suolo
[16] **tapis** (m.)	carpet	alfombra	tappeto
[17] **peau** (f.)	skin	piel	pelle
[18] **doux**	sweet	dulce	dolce
[19] **soudain**	suddenly	de repente	improvviso
[20] **pouce** (m.)	inch	pulgada	pollice
[21] **écran tactile** (m.)	touch screen	pantalla táctil	schermo tattile
[22] **rapporter**	to bring back	traer	riportare
[23] **s'allumer**	to turn on/switch on	encenderse	accendersi
[24] **reconnaissance vocale** (f.)	voice recognition	reconocimiento de voz	riconoscimento vocale
[25] **mortel (fam.)**	great	la bomba	grandioso
[26] **soupirer**	to sigh	suspirar	sospirare
[27] **miroir** (m.)	mirror	espejo	specchio
[28] **contrôle** (m.)	test	control	controllo
[29] **s'inquiéter**	to worry	preocuparse	inquietarsi
[30] **fier**	proud	orgulloso	fiero
[31] **enrouler**	to wrap	enrollar	arrotolare
[32] **doigt** (m.)	finger	dedo	dito
[33] **sujet**	examination question	tema	soggetto
[34] **sauvegarder**	to save	grabar	salvare
[35] **il suffit de faire**	all you have to do is do	basta con hacer	solo facendo

Français	Anglais	Espagnol	Italien
[36] **craquer un code d'accès**	to hack an access code	craquear un código de acceso	craccare una password
[37] **cœur léger**	light hearted	alegre y contento	cuore leggero
[38] **veston** (m.)	jacket	chaqueta	giacca
[39] **ridicule**	ridiculous	ridículo	ridicolo
[40] **retoucher**	to alter	retocar	ritoccare

5. La Dandy Garden Party

Français	Anglais	Espagnol	Italien
[1] **essayer**	to try sth on	intentar	provare
[2] **propre**	own	propio	proprio
[3] **porter chance à qqn**	to bring luck to someone	dar suerte a alguien	portare fortuna a qlcn
[4] **bouton en nacre** (m.)	pearl button	botón de nácar	bottone in madreperla
[5] **imprimé de fleurs**	flower motif	estampado de flores	motivo floreale
[6] **doute** (m.)	doubt	duda	dubbio
[7] **rassurer**	to reassure	tranquilizar	rassicurare
[8] **divorcer**	to(get)divorced	divorciarse	divorziare
[9] **stupéfait**	astounded	estupefacto	stupefatto
[10] **être aux anges**	to be in heaven/ on cloud nine	estar en la gloria	essere al settimo cielo
[11] **être habillé**	to be dressed	ir vestido	essere vestito
[12] **marrant**	funny	divertido	divertente
[13] **déguisement** (m.)	disguise	disfraz	travestimento
[14] **fièvre du samedi soir**	saturday night fever	fiebre del sábado noche	febbre del sabato sera
[15] **être à l'aise**	to be comfortable	estar cómodo	sentirsi a proprio agio
[16] **maladroitement**	awkwardly	torpe	maldestramente
[17] **secouer qqch**	to shake sth	agitar algo	scuotere qlc
[18] **dans tous les sens**	in all directions	en todas direcciones	in tutti i sensi
[19] **tomber à genoux**	to fall to one's knees	arrodillarse	inginocchiarsi
[20] **ravissant**	lovely	arrebatador	incantevole
[21] **poisson rouge** (m.)	goldfish	pez de colores	pesce rosso
[22] **éclabousser**	to splash	salpicar	schizzare

Français	Anglais	Espagnol	Italien
[23] **âge mental** (m.)	mental age	edad mental	età cerebrale
[24] **nager**	to swim	nadar	nuotare
[25] **coffre** (m.)	chest	baúl	baule
[26] **grenouille** (f.)	frog	rana	rana
[27] **pousser**	to push	empujar	spingere
[28] **refaire surface**	to come back up	salir a la superficie	riaffiorare
[29] **bouche** (f.)	mouth	boca	bocca
[30] **porte-voix** (m.)	megaphone	megáfono	porta voce
[31] **concours de plongeon** (m.)	diving contest	concurso de inmersión	concorso di tuffi
[32] **plonger**	to dive	sumergirse	tuffarsi
[33] **celui qui**	the one/those	aquel que, quien	coloro
[34] **goéland** (m.)	seagull	gaviota	gabbiano
[35] **extraordinaire**	extraordinary	asombroso	straordinario
[36] **plongeoir** (m.)	diving board	trampolín	trampolino
[37] **prendre son élan**	to take one's mementum	tomar impulso	prendere lo slancio
[38] **figure** (f.)	figure	cara, pinta	faccia
[39] **provoquer**	to provoque	provocar	provocare
[40] **admiration** (m.)	admiration	admiración	ammirazione
[41] **aussitôt**	as soon	en seguida	subito
[42] **participant**	participant	participante	participante
[43] **dauphin** (m.)	dolphin	delfín	delfino
[44] **à voix haute**	aloud/out loud	en voz alta	a voce alta
[45] **en chœur**	chorus	a coro	coro
[46] **croiser le regard de**	to meet the gaze of	cruzarse con la mirada de	incrociare lo sguardo
[47] **sembler**	to seem	parecer	sembrare
[48] **décevoir**	to disappoint	decepcionar	deludere
[49] **décider de faire qqch**	to decide to do sth	decidir hacer algo	decidere di fare qlc
[50] **impressionner qqn**	to impress someone	impresionar a alguien	impressionare qlcn

Français	Anglais	Espagnol	Italien
[51] **moite**	sweaty	húmedo	umidiccio
[52] **tenter**	to try out	tentar	tentare
[53] **respirer profondément**	to breathe deeply	respirar profundamente	respirare profondamente
[54] **s'élever**	to go up	elevarse	sollevarsi
[55] **écarter**	to spread	abrir	allargare
[56] **aile** (f.)	wing	ala	ala
[57] **cinglant**	stinging (pain)	punzante	pungente
[58] **pourtant**	however	sin embargo	eppure
[59] **brûler**	to burn	quemar	bruciare
[60] **épaule** (f.)	shoulder	hombro	spalla
[61] **proche**	close/near	cerca	vicino
[62] **troubler**	to trouble	turbar	turbare
[63] **faire honneur à**	to bring honour to	hacer honor a	rendere onore a
[64] **année scolaire** (f.)	school year	año escolar	anno scolastico
[65] **utile**	useful	útil	utile
[66] **joie** (f.)	joy	alegría	gioia

6. Retour sur terre

Français	Anglais	Espagnol	Italien
[1] **retour** (m.)	return	vuelta	ritorno
[2] **serviette** (f.)	towel	toalla	asciugamano
[3] **pause déjeuner** (f.)	lunch time	hora del almuerzo	pausa pranzo
[4] **remarquer**	to notice	observar	notare
[5] **invitation** (f.)	invitation	invitación	invito
[6] **ça sert à rien**	it's useless	no sirve de nada	è inutile
[7] **avoir la bosse des maths**	to have a head for math	tener facilidad para las mates	avere il bernoccolo della matematica
[8] **furieux**	furious	furioso	furioso
[9] **klaxonner**	to honk	pitar	suonare il clacson
[10] **superficiel**	superficial	superficial	superficiale

Français	Anglais	Espagnol	Italien
7. La vengeance de Cœur de pirate			
[1] **vengeance** (f.)	vengeance	venganza	vendetta
[2] **réseau** (m.)	network	red	rete
[3] **faire partie de**	to be part of	formar parte de	fare parte di
[4] **lanceurs de tartines**	toast launchers	lanzadores de tostadas	lanciatori di panini
[5] **autant de**	as many	tanto(s)	tanto..
[6] **permettre à qqn de faire qqch**	to allow someone to do sth	permitir a alguien hacer algo	permettere a qlcn di fare qlc
[7] **milliers de**	thousands of	miles de	migliai di
[8] **membre** (m.)	member	miembro	membro
[9] **en temps voulu**	in due course	a su debido tiempo	a tempo debito
[10] **mystérieux**	mysterious	misterioso	misterioso
[11] **mystère** (m.)	mystery	misterio	mistero
[12] **visible**	visible	visible	visibile
[13] **être occupé**	to be busy	estar ocupado	essere occupato
[14] **moyenne** (f.)	average	media	media
[15] **boîte mail** (f.)	mailbox	buzón de entrada	casella postale
8. Un pirate au grand cœur ?			
[1] **assister à**	to attend a	asistir a	assistere a
[2] **miracle**	miracle	milagro	miracolo
[3] **décider de faire qqch**	to decide to do sth	decidir hacer algo	decidere di fare qlc
[4] **impatience** (f.)	impatience	impaciencia	impazienza
[5] **remercier qqn pour qqch**	to thank someone for sth	agradecer algo a alguien	ringraziare qlcn per qlc
[6] **grand dauphin** (m.)	great dolphin	delfín mular	gran delfino
[7] **être doué de raison**	thinking being	ser dotado de razón	essere dotato di ragione
[8] **couple** (m.)	couple	pareja	coppia
[9] **sauver qqn**	to save someone	salvar a alguien	salvare qlcn

Français	Anglais	Espagnol	Italien
[10] **naufragé**	castaway	náufrago	naufragio
[11] **se mettre du gloss**	to put gloss on	ponerse brillo (en los labios)	mettersi il rossetto
[12] **sursauter**	to jump	dar un respingo	sussultare
[13] **se venger**	to take revenge	vengarse	vendicarsi
[14] **plié en deux**	to fold in half	doblado por la mitad	piegato in due

9. Épilogue

Français	Anglais	Espagnol	Italien
[1] **se mettre dans tous ses états**	to go spare/to get steamed up	ponerse de los nervios	rimanerci male
[2] **clin d'œil** (m.)	wink	guiño	occhiolino
[3] **déchirer**	to tear	romper	stracciare
[4] **sinon**	otherwise	si no	se no
[5] **condition** (f.)	condition	condición	condizione
[6] **instructeur**	instructor	instructor	istruttore
[7] **but** (m.)	goal	meta	scopo
[8] **être humain**	human being	ser humano	essere umano
[9] **apprivoiser qqn**	to tame someone	domesticar a alguien	addomesticare qlcn

Notes

Ce roman a été
imprimé au
printemps 2012